Feest

Anke Kranendonk
met tekeningen van Stern Nijland

Zwijsen

Feest

Joost is zes.
Hij geeft een feest.
Wie komt er op dat feest?

Een gast.

Maar wie is die gast?
Kijk maar in de kast.
In de kast?
Zit hij daar?

Kom, gast!
Kom uit de kast.

Beng!

Wie komt daar uit de kast?
De gast.
Dag Bert!

Bert is de gast.
Hij zat in de kast.
Bert geeft Joost een zoen.
Een zoen op zijn neus.
Een zoen op zijn bips.

En een zoen op zijn schoen.

Wie komt er nog meer op het feest?
Een beest of een geest?

Een beest op het feest?
Een gast in de kast?

Brr, wat eng.

Nee hoor.
Er komt geen beest en ook geen **geest**.

Een kist voor Joost

Bert is uit de kast.

'Kijk Joost,' zegt hij, 'voor jou.
Een kist.'

Joost kijkt naar de kist.
Er ligt een brief op de kist.

Joost leest de brief:
'Oost west.
In de kist zit geen mest.
En ook geen nest.
Geen laars en geen kaars.
Dit is een brief.
Joost is lief.'

'Dat is leuk,' zegt Joost.
'Maar ... zit er ook een pak in de kist?'
Joost ziet pips.
Zijn neus is wit.
Er is toch wel iets voor hem?

'Is er een pak in de kist?' vraagt Joost.

Bert glimt.
'Kijk goed in de kist,' zegt hij.
'Het was een list.
Maar er zit heus iets in de kist.'

Joost vist en vist.
Daar komt iets aan.
Het is een hart.
Een hart van schuim.

Een groot stuk schuim

'Mmm,' zegt Joost.
'Ik neem vast een hap.'
Hij eet een groot stuk schuim.

'Lust jij ook een stuk?' vraagt Joost.

Bert lust geen schuim.
Bert lust taart.

Bert mag nog geen taart.
Dat mag niet van Joost.
'Ans is er nog niet,' zegt Joost.
'Hans en Jans zijn er ook nog niet.
En Stef en Staf.
Pas als zij er zijn, mag je taart.'

'Ik wil taart.'
Bert zeurt en zeurt.

'Hou op,' zegt Joost.
'Je mag een stuk schuim.
Maar nog geen taart.'

'Ik wil taart,' zeurt Bert.

'Stop, je zeurt.
Het is nog niet jouw beurt.'

Woest

Bert kijkt woest.
'Het is toch feest,' zegt hij.
'Geef mij een homp taart.'

'Nog niet,' zegt Joost.
'Jij lust te veel taart.
Als je te veel eet,
past je broek niet meer.'

Bert kijkt naar zijn broek.
Die is heel groot.
Het is de broek van zijn broer.
Maar de buik is van Bert.
En die is al heel dik.

Bert weet het wel.
Bert lust te veel taart.
Hij gaat graag naar elk feest.

Op elk feest eet hij taart.
En drop en spek en nog veel meer.
Maar Bert eet geen schuim.
Dat lust hij niet.

Ding, dong!
Wie zal daar zijn?

Hans en Ans en Jans

Daar zijn Ans, Hans en Jans.
Hans is de broer van Ans en Jans.

'Vang!' roept Hans.
Hij gooit een groot pak naar Joost.

Het pak zit goed vast.
Joost pakt een schaar en maakt het touw los.

Wat komt er uit het pak?
Een boot met een mast.
'Dank je wel,' zegt Joost.

Ans

Ans is aan de beurt.
'Dag schat,' zegt ze.
Ans geeft Joost een zoen.
Een zoen op zijn wang.

Joost is knalrood.
'Ik ben in vuur en vlam!' roept hij.

Ans gaat stug door.
Ze geeft Joost nog een zoen.

'Ik zing een lied,' zegt ze.
'Een lied voor Joost.'

Het is stil in huis.
'Ik zing voor jou,' zegt Ans.

Het is een lang lied.
De stem van Ans is schor.
Maar toch is het goed.

Ze zingt:
'Joost wat een feest.
Ik hou van jou het meest.
Joost is niet stom maar stoer.
Was je maar mijn broer.'

Dan is het stil.
'Nee,' zegt Ans.
'Was je maar niet mijn broer.
Ik hou van jou.
Ik ben op jou.'

Het lied gaat door.
Het is een lang lied.
'Joost is mijn rots.
En ik ben goed knots.
Ik lust taart.
Nee, weet je wat ik wil:
een kip aan de gril.'

Jans

Kijk eens!
Kijk naar Jans.
Zij doet een dans.
Step, stap, stap, step.
Step, stap, stap, step.

Joost pakt haar vast.
Nu zijn zij een stel.

Step, stap, stap, step.
De dans is niet stijf.

Een schop

Maar dan geeft Ans Jans een schop.
'Blijf van Joost af.
Hij is mijn maat!'

Ans geeft haar zus een schop met haar
schoen.
'Niet doen, niet doen!' roept Joost.

Ans gaat door.
Ze gooit Jans op de vloer.
De bril valt van haar neus.

Snel staat Jans op.
Ze kijkt heel scheel.
Maar de bril is nog heel.

Muts

Pats, pets!
Jans is goed boos.
Ze slaat Ans op haar wang.
En op haar bips.

Vlug rent Ans weg.
'Muts!' roept ze.
'Jij nest.
Jij pest mij heel vaak!'
Ans is woest.
Jans is ook woest.

'Stil maar, stil maar,' sust Joost.
'Dit is een feest.
Kom vlug.
Het komt vast goed.
Het lied was fijn.
En de dans ook.
We gaan aan de taart.'

Stef en Staf

Pff, dat ging maar net goed.
Daar zijn Stef en Staf.
Hun haar is paars.
'Voor het feest,' zegt Stef.
'Mijn haar was lang en rood.
Nu is het kort en paars.'

'Net als bij mij,' zegt Staf.
'Mijn haar was kort en rood.
Nu is het lang en paars.
Hoe kan dat?'

Grap

Staf maakt altijd een grap.
Met Staf is het altijd feest.

Met Stef is het ook altijd feest.
Stef is de broer van Staf.
En Staf is de broer van Stef.

Stef geeft een pak aan Joost.
Staf geeft ook een pak aan Joost.

Het is een kaars en een ster.
De kaars past in de taart.
De ster past ook in de taart.

Feest

Pang!

Er komt een knal uit de taart.
En dan is er vuur.

Dat hoort niet!
Geen vuur in de taart.

Maar het vuur duurt niet lang.
Het was een grap.
Een grap van Stef en Staf.

'Het is tijd!' roept Bert.
'Tijd voor de taart!'

Dat is waar.
Het is tijd voor de taart.

Er is taart voor Bert en Ans
en Jans en Hans
en Stef en Staf.
En voor Joost.
Wat een feest!

Joost is zes!

18

sterretjes bij kern 8 van Veilig leren lezen

na 22 weken leesonderwijs

1. griet wil het boek in
Frank Smulders en Camila Fialkowski

2. snel!
Dirk Nielandt en Christoph Kirsch

3. Feest
Anke Kranendonk en Stern Nijland